G000122903

Mór agus Muilc

An chéad chló 2019

Ó bhéalaithris John Óig Hiúdaí Neidí Uí Cholla
Maisiú, leagan amach agus clóchur: Kim Sharkey

ÉABHLÓID
Gaoth Dobhair, Tír Chonaill

ISBN: 978-0-9956119-9-3

Buíochas le Breandán Mac Suibhne agus Dónall Ó Cnáimhsí.

Tá Éabhlóid buíoch d'Fhoras na Gaeilge
as tacaíocht airgeadais a chur ar fáil.

eolas@eabhloid.com

www.eabhloid.com

I gcuimhne ar Eibhlín agus ar Ellen ♥
~ Muintir Uí Chnáimhsí

Do Ghráinne agus do mo thuismitheoirí, Helen agus Brian ♥
~ K.S.

Mór agus Muilc

John Óg Hiúdaí Neidí Ó Colla
a d'aithris

Kim Sharkey
a mhaisigh

Chuaigh
Mór agus Muilc

síos chun na trá ag
cruinniú

bairneach.

Thiontaigh siad cloch
agus caidé a bhí fúithi ach ...
partán!

Agus shíl siad gur an Bás a bhí ann.

'Seo chugat an Bás, a Eoghain Mhic a' Chailc!'
arsa Mór agus Muilc.

'Cé a chuala nó a chonaic é?'
arsa Eoghan 'Ac a' Chailc.

'Chuala muidinne agus chonaic muidinne,' arsa Mór agus Muilc.

Shín leo, Mór agus Muilc agus Eoghan 'Ac a' Chailc
go dtáinig siad a fhad le Sagart Eoghanaí Glic.

'Seo chugat an Bás,
a Shagairt Eoghanaí Glic!'
arsa Mór agus Muilc.

'Cé a chuala nó a chonaic é?'
arsa Sagart Eoghanaí Glic.

'Chuala muidinne agus chonaic muidinne,'
arsa Mór agus Muilc.

Shín leo, Mór agus Muilc, Eoghan 'Ac a' Chailc
agus Sagart Eoghanaí Glic go dtáinig siad
a fhad le Meigeadán an Átha.

'Seo chugat an Bás, a Mheigeadáin an Átha!'
arsa Mór agus Muilc.

'Cé a chuala nó a chonaic é?'
arsa Meigeadán an Átha.

'Chuala muidinne agus chonaic muidinne,'
arsa Mór agus Muilc.

Shín leo, Mór agus Muilc, Eoghan 'Ac a' Chailc, Sagart Eoghanaí Glic agus Meigeadán an Átha go dtáinig siad a fhad le Meigeadán an Mhuilinn.

'Seo chugat an Bás, a Mheigeadáin an Mhuilinn!' arsa Mór agus Muilc.

'Cé a chuala nó a chonaic é?' arsa Meigeadán an Mhuilinn.

'Chuala muidinne agus chonaic muidinne,' arsa Mór agus Muilc.

Shín leo, Mór agus Muilc, Eoghan 'Ac a' Chailc,
Sagart Eoghanaí Glic, Meigeadán an Átha
agus Meigeadán an Mhuilinn go dtáinig siad
a fhad le Pioncás an Bhuna Bhig.

'Seo chugat an Bás, a Phioncáis an Bhuna Bhig!'
arsa Mór agus Muilc.

'Cé a chuala nó a chonaic é?'
arsa Pioncás an Bhuna Bhig.

'Chuala muidinne agus chonaic muidinne,'
arsa Mór agus Muilc.

Shín leo, Mór agus Muilc, Eoghan 'Ac a' Chailc, Sagart Eoghanaí Glic, Meigeadán an Átha, Meigeadán an Mhuilinn agus Pioncás an Bhuna Bhig go dtáinig siad a fhad le Madadh Ros Goill.

'Seo chugat an Bás, a Mhadaidh Ros Goill!' arsa Mór agus Muilc.

'Cé a chuala nó a chonaic é?' arsa Madadh Ros Goill.

'Chuala muidinne agus chonaic muidinne,' arsa Mór agus Muilc.

Shín leo, Mór agus Muilc, Eoghan 'Ac a' Chailc, Sagart Eoghanaí Glic, Meigeadán an Átha, Meigeadán an Mhuilinn, Pioncás an Bhuna Bhig agus Madadh Ros Goill go dtáinig siad a fhad leis an Ghiorria Dhonn.

'Seo chugat an Bás, a Ghiorria Dhoinn!'
arsa Mór agus Muilc.

'Cé a chuala nó a chonaic é?'
arsa an Giorria Donn.

'Chuala muidinne agus chonaic muidinne,'
arsa Mór agus Muilc.

Shín leo, Mór agus Muilc, Eoghan 'Ac a' Chailc,

Sagart Eoghanaí Glic, Meigeadán an Átha,

Meigeadán an Mhuilinn, Pioncas an Bhuna Bhig,

Madadh Ros Goill agus an Giorria Donn

go dtáinig siad a fhad le Bearád na Feá.

‘Seo chugat an Bás, a Bhearáid na Feá!’
arsa Mór agus Muilc.

‘Cé a chuala nó a chonaic é?’ arsa Bearád na Feá.

‘Chuala muidinne agus chonaic muidinne,’
arsa Mór agus Muilc.

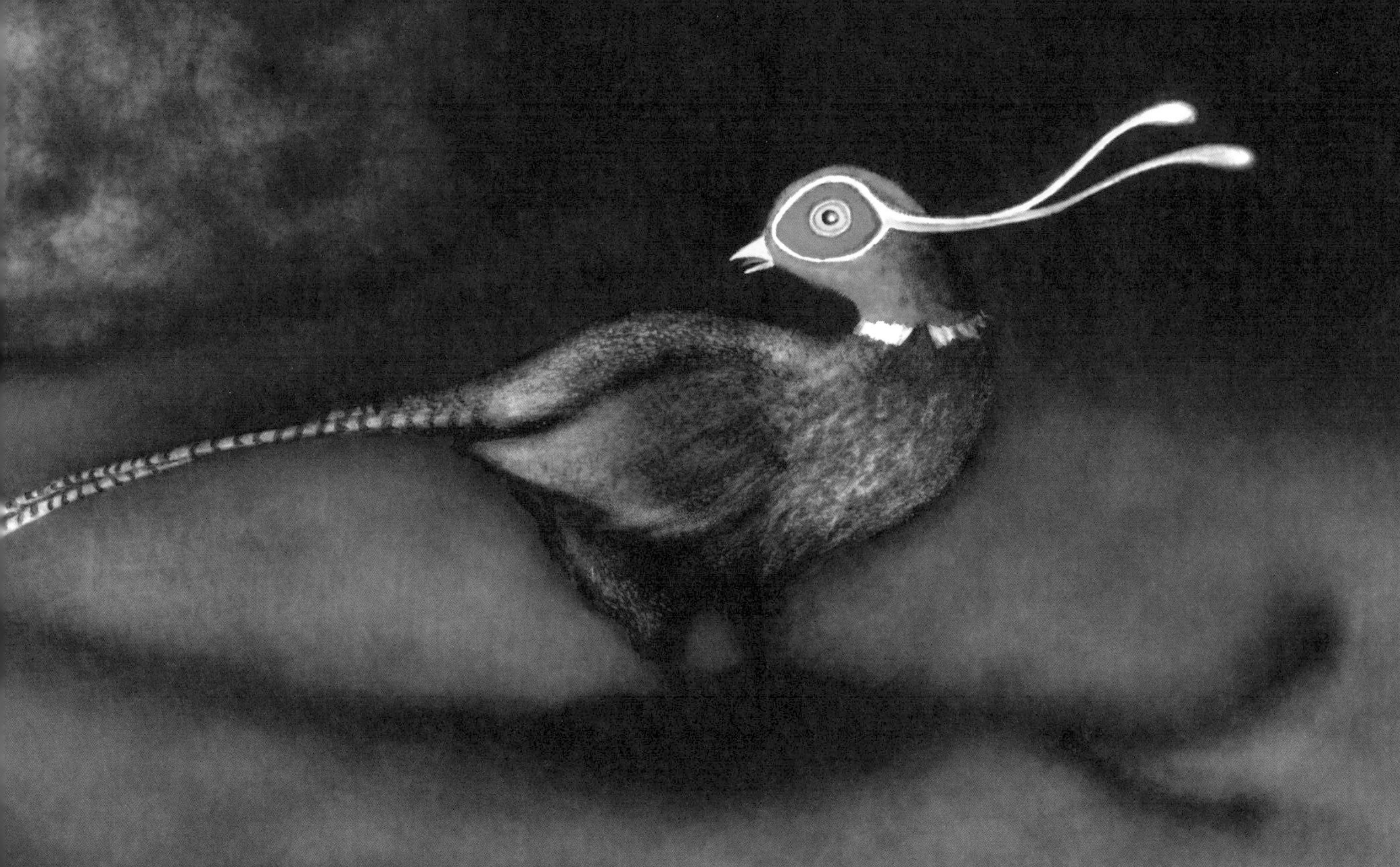

Shín leo, Mór agus Muilc, Eoghan 'Ac a' Chailc,
Sagart Eoghanaí Glic, Meigeadán an Átha,
Meigeadán an Mhuilinn, Pioncas an Bhuna Bhig,
Madadh Ros Goill, an Giorria Donn agus
Bearád na Feá go dtáinig siad a fhad
leis an Ghearrán Bhán.

'Seo chugat an Bás, a Ghearráin Bháin!'
arsa Mór agus Muilc.

'Cé a chuala nó a chonaic é?'
arsa an Gearrán Bán.

'Chuala muidinne agus chonaic muidinne,'
arsa Mór agus Muilc.

Faoin am seo, bhí siad thuas ag barr Ghaoth Dobhair ag bruach na Cláidí agus bhí tuile mhór san abhainn.

Shocraigh siad a ghabháil suas ar an Ghearrán Bhán le ghabháil trasna na habhna. Mar sin, chuaigh... Mór agus Muilc, Eoghan 'Ac a' Chailc, Sagart Eoghanaí Glic, Meigeadán an Átha, Meigeadán an Mhuilinn, Pioncás an Bhuna Bhig, Madadh Ros Goill, an Giorria Donn agus Bearád na Feá uilig suas ar an Ghearrán Bhán agus thug siad iarraidh a ghabháil trasna ar an Ghaoth.

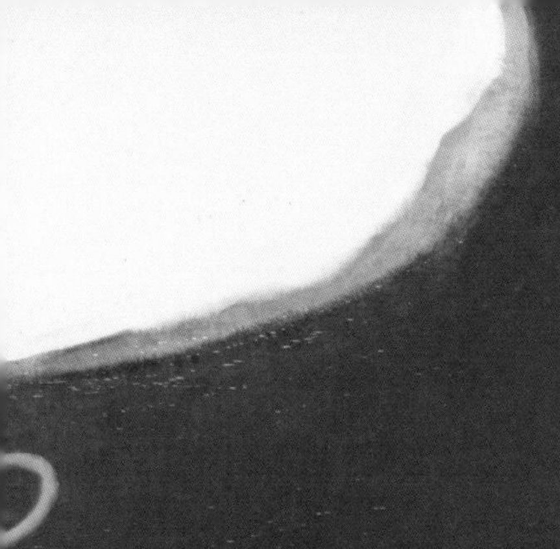

Ach bhí an tuile róláidir agus
scuabadh ar shiúl agus báitheadh
an t-iomlán dearg acu.

Is fíor an rud a dúradh ariamh—
ní thig éalú ón bhás.

John Óg Hiúdaí Neidí Ó Colla

Fear mór láidir a bhí i John Óg Hiúdaí Neidí Ó Colla a raibh acmhainn mhaith grinn aige, suim sa pholaitíocht agus dúil i gcorrghloine uisce beatha. Tháinig sé ar an tsaol ar an Ghlaisigh, Gaoth Dobhair, in 1918. D'fhág sé scoil Bhun an Inbhir nuair a bhí sé dhá bhliain déag d'aois agus chuaigh sé a dh'obair ag carróireacht earraí ó Stáisiún Ghaoth Dobhair go Cóp na Glaisí. In 1936, thoisigh sé a ghabháil anonn is anall go hAlbain le hoibriú ar fheirmeacha móra sna Borders, rud a dhéanfadh go leor de mhuintir Ghaoth Dobhair an t-am sin.

I ndeireadh na 1950idí, shocraigh sé fanacht sa bhaile le bheith ag tógáil agus ag deisiú tithe. Bhí sé ag obair le fear a raibh Jimí Thomáis Bhig air agus, dar le John Óg, ba iadsan a chuir sreangacha i gcuid mhaith de thithe Ghaoth Dobhair i gcomhair an leictreachais; obair mhaslach a bhí ann, a deireadh sé, ag polladh fríd bhallaí cloiche trí troithe ar leithead le casúr agus siséal. In 1963, d'oscail Seán Mac Pháidín, ar chara mór leis é, teach tábhairne ar an Ghlaisigh agus chuaigh John Óg a dh'obair ann mar fhear beáir; ní raibh a dhath níos mó a thabharfadh pléisiúr dó ná a bheith ag caint le fir na háite sa bheár fá na blianta a chaith siad 'thall adaí' fá Lauder, Kelso, Dalkeith agus Galashiels. I dtús na 1970idí, bhog a leasdeartháir Breandán agus a bhean Anne isteach leis. Bhí John Óg ariamh iontach lách le páistí s'acu agus bhí *Mór agus Muilc* ar cheann de na scéalta beaga a d'insíodh sé dóibh. Ní raibh cuimhne aige cá háit ná cé uaidh ar chuala sé ar tús é; bhí sé aige, a deireadh sé, ó bhí sé ina ghasúr.

Fuair John Óg bás in 2006. Tá cuimhne mhaith i gcónaí air fán Ghlaisigh, go háirithe fá Theach Sheáin, áit a raibh go leor cairde aige. Agus tá cuimhne ag daoine a bhfuil páistí dá gcuid féin anois acu ar scéal beag a chuala siad uaidh agus iad ina bpáistí—*Mór agus Muilc*.

Kim Sharkey

Tá cónaí ar Kim Sharkey agus a fear céile, Séimidh, ag bun aerstráice ar chósta thiar thuaidh Thír Chonaill. Tá siad ann lena dtrí ghabhar, a dtrí chat agus le Rosie, an madadh. Anseo, ina stiúideó baile, déanann Kim léaráidí, déanann sí beochana, bíonn sí ag péintéireacht agus déanann sí earraí as cré. Le cois a cuid oibre cruthaíochta féin, oibríonn Kim le scoltacha agus le grúpaí pobail le hinspioráid a fháil agus le misneach a thabhairt do dhaoine eile. Baineann sí sult mór as a bheith ag obair mar bhall den phainéal oideachais ar Chomhairle Dearaidh agus Ceardaíochta na hÉireann agus déanann sí comhordú áitiúil ar a gclár iontach bunoideachais CRAFTed.